Savais-tu?

Les Kangourous

Savais-tu?

Les Kangourous

Alain M. Bergeron
Michel Quintin
Sampar

Illustrations de Sampar

ÉDITIONS
MICHEL
QUINTIN

Catalogage avant publication de Bibliothèque et Archives nationales du Québec et Bibliothèque et Archives Canada

Bergeron, Alain M.

Les kangourous

(Savais-tu? ; 61)
Pour enfants de 7 ans et plus.

ISBN 978-2-89435-723-1

1. Kangourous - Ouvrages pour la jeunesse. I. Quintin, Michel. II. Sampar. III. Titre. IV. Collection : Bergeron, Alain M. Savais-tu? ; 61.

QL737.M35B47 2014   j599.2'22   C2014-940696-7

Infographie: Marie-Ève Boisvert, Éd. Michel Quintin

Le Conseil des Arts du Canada
The Canada Council for the Arts

SODEC
Québec ▦▦

Patrimoine   Canadian
canadien   Heritage

La publication de cet ouvrage a été réalisée grâce au soutien financier du Conseil des Arts du Canada et de la SODEC.

De plus, les Éditions Michel Quintin reconnaissent l'aide financière du gouvernement du Canada par l'entremise du Fonds du livre du Canada pour leurs activités d'édition.

Gouvernement du Québec – Programme de crédit d'impôt pour l'édition de livres – Gestion SODEC

ISBN 978-2-89435-723-1
Dépôt légal – Bibliothèque et Archives nationales du Québec, 2014
Dépôt légal – Bibliothèque et Archives Canada, 2014

© Copyright 2014

Éditions Michel Quintin
4770, rue Foster, Waterloo (Québec)
Canada J0E 2N0
Tél.:   450 539-3774
Téléc.: 450 539-4905
editionsmichelquintin.ca

1 4 - A G M V - 1

Imprimé au Canada

Savais-tu que les kangourous sont des marsupiaux ?
Chez ces mammifères, la femelle possède une poche
ventrale dans laquelle le petit termine son développement.
On l'appelle poche marsupiale ou marsupium.

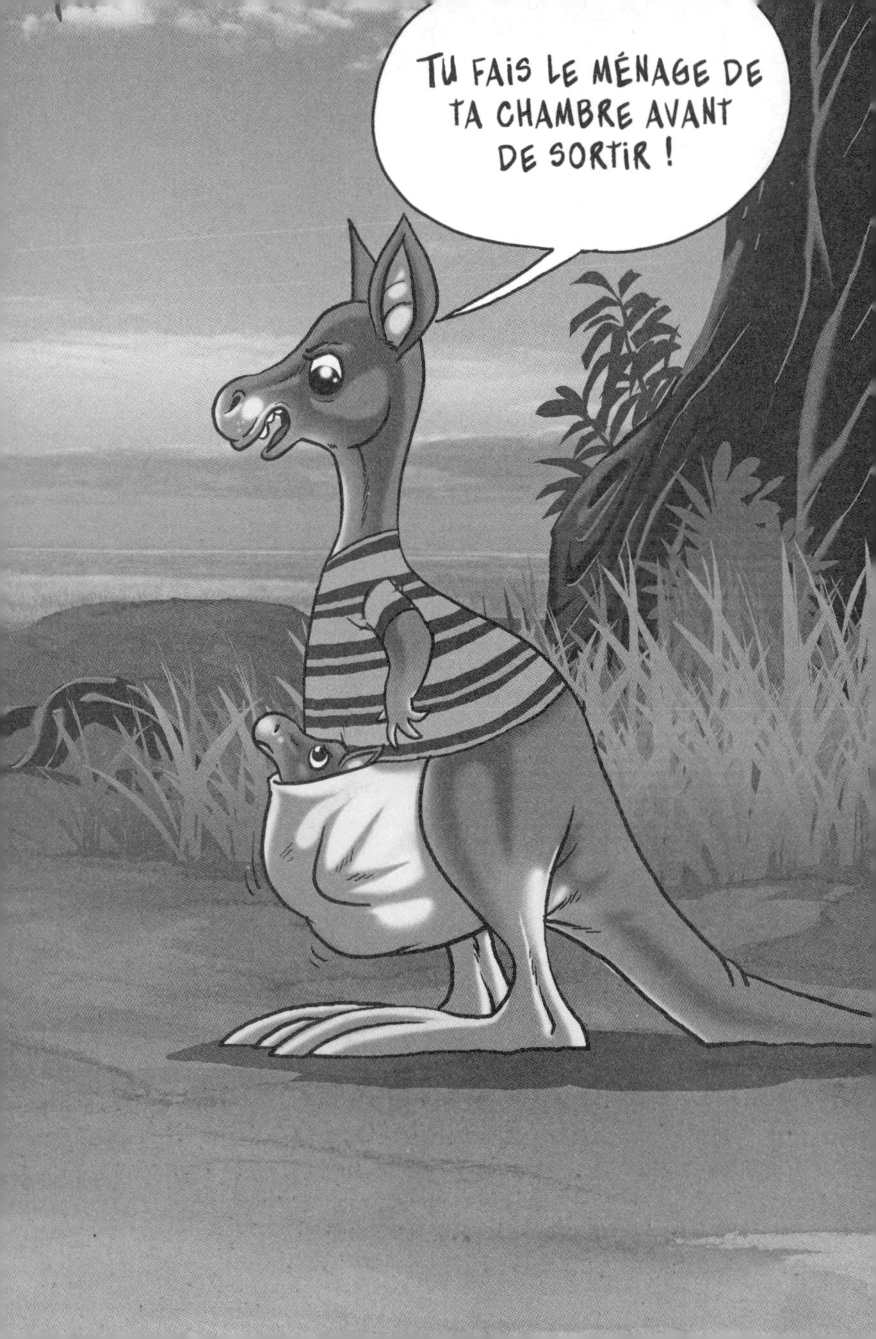
TU FAIS LE MÉNAGE DE TA CHAMBRE AVANT DE SORTIR !

Savais-tu que les kangourous ne se rencontrent qu'en Océanie (Australie, incluant la Tasmanie, et Nouvelle-Guinée)? Ces animaux pacifiques supportent bien la sécheresse et les grosses chaleurs.

Savais-tu que la famille des kangourous compte une soixantaine d'espèces? Les wallaroos, les wallabys et plusieurs espèces de petits kangourous arboricoles en font partie.

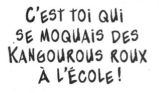

Savais-tu que le kangourou roux est le plus gros, le plus grand et le plus typique des marsupiaux ? Les mâles de cette espèce peuvent peser jusqu'à 85 kilos et mesurer 1,80 mètre de haut.

Savais-tu qu'avec son poids de 0,5 kilo, le rat-kangourou musqué est la plus petite espèce?

Savais-tu que les kangourous ne peuvent pas marcher ?
Ils se déplacent par bonds. Leur queue, musclée et bien
développée, leur sert de point d'appui au repos et de
balancier lorsqu'ils bondissent.

Savais-tu que, bien qu'il se déplace en général à une vitesse de 20 kilomètres à l'heure, le kangourou roux peut atteindre une vitesse de près de 60 kilomètres à l'heure ?

Savais-tu que, si ses bonds sont longs de 1,5 mètre en moyenne, le kangourou roux peut bondir jusqu'à 9 mètres de distance ? C'est un peu plus que le record mondial de saut en longueur chez l'homme.

Savais-tu que les mains du kangourou possèdent cinq doigts aux griffes puissantes? L'animal s'en sert, entre autres, pour se nourrir, se nettoyer et se gratter. Mis à part les espèces

arboricoles, les kangourous n'utilisent jamais leurs mains pour se déplacer ou pour s'appuyer.

Savais-tu que les kangourous arboricoles peuvent facilement sauter de branche en branche et couvrir, en un seul saut, une

distance de plus de 6 mètres? Leurs pattes antérieures sont plus vigoureuses et plus musclées que les espèces terricoles.

Savais-tu que les kangourous sont tous des herbivores ?
Ils se nourrissent généralement de la fin de l'après-midi
jusqu'au matin.

TERRAIN DE SPORT
EN GAZON
SYNTHÉTIQUE

Savais-tu que la majorité des kangourous consacrent une dizaine d'heures par jour à se nourrir ? Une fois rempli, le volumineux estomac du kangourou roux peut peser jusqu'à 15 % du poids de l'animal.

Savais-tu que, chez les kangourous, l'organisation sociale
varie de solitaire, chez les rats-kangourous, à grégaire, chez
les grands kangourous ?

Savais-tu que les kangourous roux vivent en petits groupes ? Ceux-ci dépassent rarement 10 individus et comprennent un mâle, une ou plusieurs femelles et leur progéniture. Ces petites

unités sont souvent intégrées à des groupes plus larges, surtout sur les sites de nourriture.

Savais-tu que le kangourou roux peut se passer de boire durant plusieurs semaines sans problème ? En effet, ses reins ont une capacité de rétention d'eau supérieure à celle des autres kangourous.

Savais-tu que, dans les combats de kangourous, les adversaires se servent de leurs bras pour repousser ou immobiliser l'autre et tenter de le blesser à coups de pieds ?

Ces combats, que se livrent le plus souvent deux mâles, sont rarement mortels parce que le plus faible des opposants prend généralement la fuite.

Savais-tu que les griffes des puissantes pattes arrière du kangourou sont des armes redoutables et potentiellement mortelles? Avec ses pattes postérieures munies de griffes

impressionnantes, le kangourou roux peut éventrer un homme d'un seul coup de patte.

Savais-tu que chez la majorité des espèces la femelle a un seul petit à la fois? Le rat-kangourou musqué constitue une exception puisque les portées, chez cette espèce, comptent en général deux petits.

Savais-tu qu'après une gestation d'un mois environ, la femelle du kangourou roux met au monde un nouveau-né qui ressemble à une larve prématurée de 2,5 centimètres

de long et qui pèse 1 gramme, soit 1/30 000ᵉ du poids de la mère?

Savais-tu que, quelques heures avant la naissance, la mère trace avec sa langue un chemin qui mène de son cloaque à sa poche ventrale? On croit que c'est l'odeur de la salive qui guide le nouveau-né dans son ascension.

Savais-tu que, nue et aveugle, la minuscule larve munie de griffes aux pattes antérieures va s'accrocher aux poils de la mère et remonter le long de son ventre pour se glisser dans sa poche marsupiale?

BON, LAQUELLE CHOISIR ? MA PETITE VACHE A MAL AUX PATTES... TIRONS-LA PAR LA QUEUE...

Savais-tu qu'une fois qu'il a atteint la poche ventrale, l'embryon s'accroche par la bouche à une tétine et va y rester pendant tout son développement?

Savais-tu que le kangourou roux grandit très vite ? À l'âge de six mois, il sera 2 000 fois plus gros qu'à sa naissance.

Savais-tu que c'est au bout de cinq mois que le kangourou roux sort la tête de la poche ventrale ? Il la quitte pour la première fois à sept mois mais, au moindre danger,

il y replonge tête première. Il doit ensuite effectuer une véritable gymnastique pour arriver à se retourner à l'intérieur.

Savais-tu que vers l'âge de huit mois, le kangourou roux quitte définitivement la poche de sa mère? Devenu trop lourd pour y rester, il viendra encore y plonger la tête pour téter jusqu'à l'âge d'environ un an.

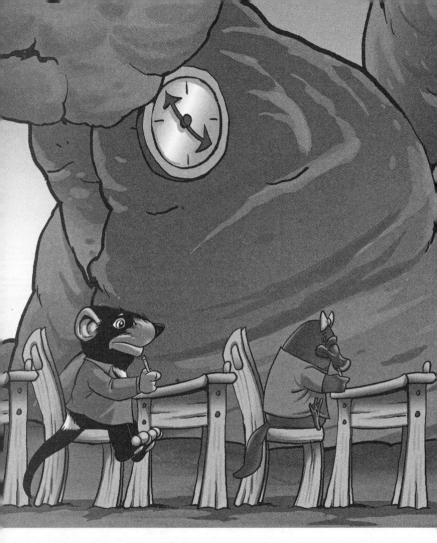

Savais-tu que 50 % des jeunes kangourous roux ne vivent pas plus de 2 ans? Bien que certains individus atteignent 20 ans, la longévité moyenne est de 6 à 7 ans.

STATISTIQUEMENT PARLANT, JE PASSERAIS LA MOITIÉ DE MA VIE À L'ÉCOLE ? DÉSOLÉ, J'AI AUTRE CHOSE À FAIRE ! ADIEU !

Savais-tu que certaines années, plus de 3 millions de kangourous sont tués par les fermiers? Ceux-ci les accusent de brouter l'herbe de leurs moutons.

Savais-tu que, mis à part l'homme qui l'exploite commercialement pour sa peau et sa viande, la plus grande menace pour le kangourou reste la destruction de son habitat ?

Savais-tu qu'une dizaine d'espèces de kangourous sont considérées comme des espèces en voie de disparition?